La première édition de cet ouvrage
a été publiée à Londres en 1985 par
Walker Books Ltd sous le titre *The Party*

Loi 49-956 du 16 juillet 1949
sur les publications destinées à la jeunesse.
Dépôt légal octobre 1985
8864
ISBN 2 226 02395 X
Imprimé en Italie

LE GOÛTER

JEAN CLAVERIE

Comment est-ce
que je vais
me déguiser

ALBIN MICHEL JEUNESSE

En justicier de l'espace ? C'est pas mal

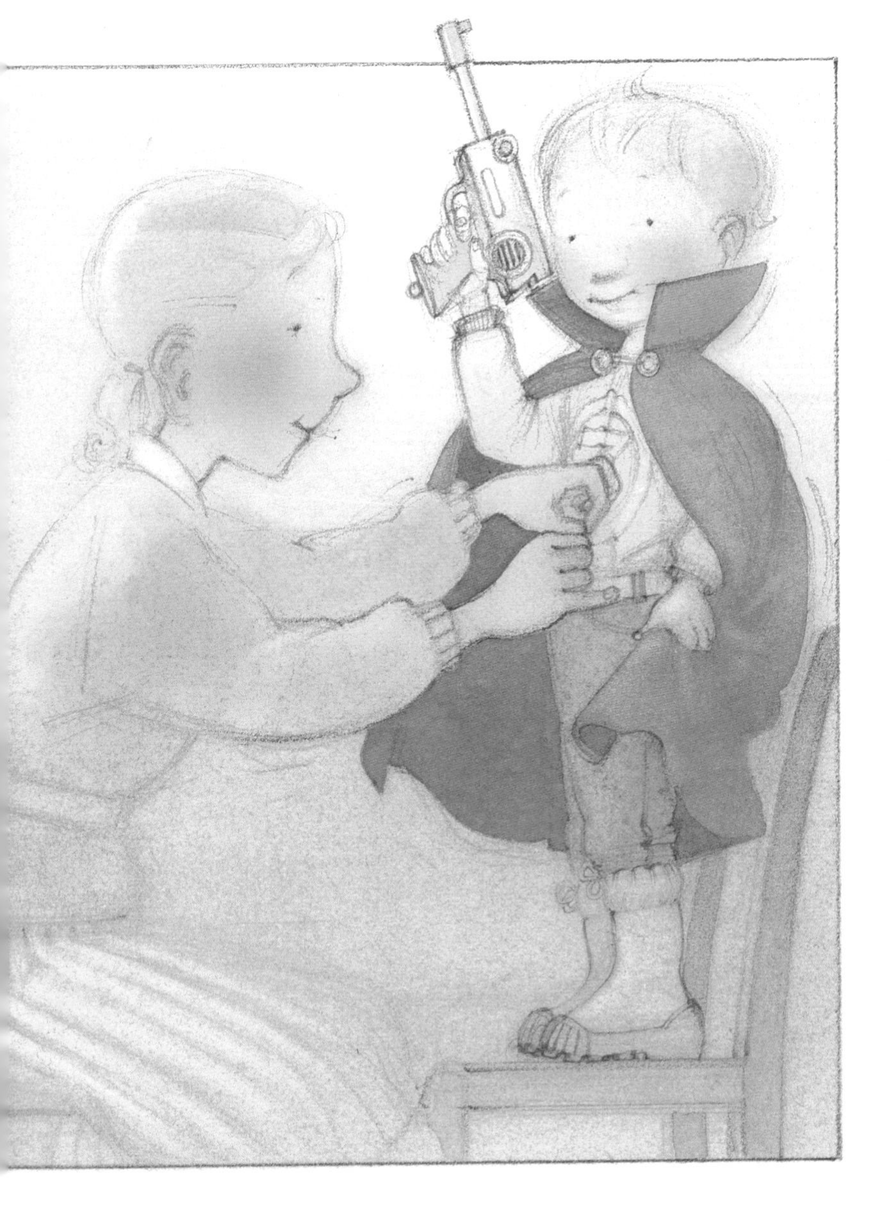

Ils vont tous être en Robin des Bois.

Bonjour, fée Virginie.

Voilà ton cadeau.

Il y a un cow-boy, une coccinelle, et...

érôme est aussi en justicier de l'espace !

Le bébé, c'est un vrai ?

Il te plaît ton cadeau ?

Allez, on joue.

C'est Jérôme qui doit nous attraper.

Les envahisseurs de l'espace sont batt

Allez, Virginie, souffle fort !

Non, Jérôme, elle ne l'a pas fait expre

Cette fois-ci, je crois que ça va chauffer

ai fermé les yeux pendant la bagarre.

Voilà les papas.

Raté, Papa !

Il y aura une photo pour chacun.

Une autre fois,

je serai en Robin des Bois !